LA CASA EMBRUJADA

TEXTO DE ROBERTO PAVANELLO

montena

¡¡¡Hola!!!
¡Soy Bat Pat!

¿Sabéis a qué me dedico?
Soy escritor. Mi especialidad son
los libros escalofriantes: los que hablan
de brujas, fantasmas, cementerios...
¿Os vais a perder mis aventuras?

LA CASA EMBRUJADA

M

El papel utilizado para la impresión de este libro ha sido fabricado a partir de madera procedente de bosques y plantaciones gestionadas con los más altos estándares ambientales, garantizando una explotación de los recursos sostenible con el medio ambiente y beneficiosa para las personas.

Por este motivo, Greenpeace acredita que este libro cumple los requisitos ambientales y sociales necesarios para ser considerado un libro «amigo de los bosques». El proyecto «Libros amigos de los bosques» promueve la conservación y el uso sostenible de los bosques, en especial de los Bosques Primarios, los últimos bosques vírgenes del planeta.

Título original: *La casa stregata*
Publicado por acuerdo con Edizioni Piemme, S.p.A.
Adaptación de la cubierta: Random House Mondadori / Judith Sendra

Primera edición: julio de 2010
Tercera edición: agosto de 2011

Texto de Roberto Pavanello
Proyecto editorial de Marcella Drago y Chiara Fiengo
Proyecto gráfico de Laura Zuccotti y Gioia Giunchi
Diseño de la cubierta y de las ilustraciones de Blasco Pisapia y Pamela Brughera
www.batpat.it *www.battelloavapore.it*

Printed in Spain – Impreso en España

ISBN: 978-84-8441-618-0
Depósito legal: B-29782-2011

Compuesto en Compaginem

Impreso en Gráficas 94

Encuadernado en Encuadernaciones Bronco

GT 1 6 1 8 0

Os presento a mis amigos...

Rebecca

Edad: 8 años
Particularidades: Adora las arañas y las serpientes. Es muy intuitiva.
Punto débil: Cuando está nerviosa, mejor pasar de ella.
Frase preferida: «¡Andando!».

Martin

Edad: 10 años
Particularidades: Es diplomático e intelectual.
Punto débil: Ninguno (según él).
Frase preferida: «Un momento, estoy reflexionando...».

Leo

Edad: 9 años
Particularidades: Nunca tiene la boca cerrada.
Punto débil: ¡Es un miedica!
Frase preferida: «¿Qué tal si merendamos?».

¡Hola, amigos voladores!

¿Vuestra casa es tranquila? ¿O de vez en cuando pasan cosas raras?

No, no me refiero a cosas como que papá cante a grito pelado en la ducha, o que la abuela se meta en la chimenea buscando sus zapatillas, o que vuestro hermano persiga al gato para tirarle de la cola. ¡Eso pasa en cualquier casa! Hablo de

cosas más extrañas. Por ejemplo, cuando vais a entrar en vuestro cuarto, ¿la puerta se os cierra delante de las narices? O, cuando estáis en el lavabo, sentados en ese «sitio», ¿la ventana se abre y cierra a ritmo de vals? ¿Nada de todo eso? ¿Seguro? ¡Qué suerte tenéis! Porque después de mi última aventura, casa Silver me parece un poco demasiado «viva» para mi gusto.

1

¡VACACIONES FASTIDIADAS!

h, la tranquilidad de las vacaciones de Semana Santa!

Esos maravillosos días de relax dedicados a saborear los dulces encantos de la primavera: el aire cálido, el atrayente zumbido de los mosquitos, las primeras flores y... ¡las locuras de los hermanos Silver!

Aquel día supe que mi tranquilidad acabaría muy pronto cuando noté que el estruendo de las cinco, la vuelta de la escuela, era más fuerte de lo habitual.

Cuando entré revoloteando en la cocina me encontré a toda la familia reunida, el señor Silver incluido, como siempre con el *Eco de Fogville* en una mano. La señora Silver había preparado una pila altísima de tortitas para untarlas con mermelada de frambuesa.

—¡'iéntate, Bat! ¡'Oje una 'onita 'ortita! —farfulló Leo que, además de las tortitas, se había «untado» las manos y la cara a base de bien.

—Así que estáis de vacaciones —solté, uniéndome feliz al banquete.

—¡Vacacionísimas! —contestó Leo—. Sabes lo que significa, ¿verdad, Bat? ¡Largas mañanas en la cama y mogollón de horas en la mesa!

—¡Habla por ti, gandul! —le gruñó Rebecca—. ¡Yo comienzo el curso de danza de primavera!

—Pues yo —dijo Martin— tengo un proyecto que me ronda por la cabeza desde hace un tiempo...

—¿Y en qué consiste? ¿En darle un repasito a la *Enciclopedia británica*? —preguntó irónico Leo.

—¡Te equivocas! Tengo la intención de dar una vuelta en bici por los alrededores en busca de sitios curiosos y después recopilarlos en una pequeña guía turística. Desde luego, la experiencia de un escritor profesional me resultaría de gran ayuda...

Al oír «escritor profesional», salté como un muelle. ¡Aquel pillastre de Martin sabía muy bien cómo engatusarme!

—¡Aquí me tienes! ¡Iré contigo! —contesté yo un poco precipitadamente—. ¿Qué clase de sitios «curiosos» tenías en mente, para ser exactos?

—Oh, nada especial —contestó Martin con tono evasivo—. Estaba pensando en sitios sobre los que corren rumores y leyendas raras: castillos en ruinas, iglesias abandonadas y, sobre todo... ¡casas encantadas!

—¡Por todos los mosquitos! ¿Y a eso lo llamas tú «nada especial»?

—¡Ya deberías saber, Bat, que a nuestro hermano le chiflan esa clase de asquerosidades! — Leo se rió por lo bajo—. Y, sea como sea, ya has dicho que sí: «¡Acuerdo pactado, murciélago atrapado!». ¿No lo decía siempre tu tía Titina?

¡Solo me faltaba que Leo empezara a recordarme los proverbios de la familia! Y por si eso no fuera su-

ficiente, el señor Silver se encargó de empeorar aún más las cosas:

—Si estáis buscando sitios misteriosos, podríais empezar por Thrillmore House, ¡«la casa más embrujada de Inglaterra»! El periódico de hoy habla justamente de ella. Un famoso parapsicólogo de la época, un tal Larry Price, que después resultó ser un charlatán de primera categoría, la estudió durante mucho tiempo.

—¿Larry Price? —preguntó Martin sorprendido—. Ese nombre me suena...

—¿Y por qué el periódico habla precisamente hoy de esa simpática casita? —pregunté yo inquieto.

—Porque acaba de fallecer la última propietaria. Y su sobrino, el único heredero, ha anunciado que tiene intención de reformarla y venderla. No está lejos de Fogville: si salís en bici ahora mismo, os dará tiempo a volver de día.

—Pero ¿no será peligroso, George? —objetó la señora Silver.

—¡Vamos Elisabeth, estamos en el siglo XXI! ¿Quién quieres que siga creyendo en esas viejas historias de fantasmas?

Iba a contestar: «¡Yo sí creo en ellas!», pero ya era demasiado tarde: Martin había ido a coger su bici.

2

¡REVOLOTEANDO SOBRE UNA BICI!

n qué parte de una bici de montaña puede sentarse un murciélago? ¿En la barra? ¡Resbalas! ¿En el manillar? ¡Corres el peligro de acabar en el suelo cada vez que frenan! Probamos varias opciones, pero al final me pareció menos arriesgado volar un par de metros por encima de Martin. Siguiendo el recorrido del mapa que Leo había bajado de internet, llegamos en menos de una hora. La villa, situada en un lugar algo apartado, estaba rodeada por un alto muro y tenía un tejado extrañísimo, lleno de salientes y picos. Naturalmente, esto solo pude verlo yo desde el cielo. Martin tuvo que detenerse ante una gran verja de hierro entrecerrada en la que habían colgado carteles muy directos, como «PROPIEDAD PRIVADA», «PROHIBIDO EL PASO A PERSONAS NO AUTORIZADAS», etcétera.

Esperé ingenuamente que eso bastara para disuadir a Martin pero, en cuanto abrió la boca para decir: «Bat, amigo mío...», supe lo que me pediría.

—¿Podrías hacer un vuelo de reconocimiento sobre la propiedad, por favor? Lo justo para hacer unas fotos...

¿Qué te parece?

Llegué a la casa después de sobrevolar el maravilloso parque que la rodeaba: a pesar de que sentía una pizca de inquietud, estaba empezando a disfrutar del lugar. Pero, en cuanto me acerqué al edificio, mi espíritu poético se esfumó.

Oí gritos que provenían del interior. Después, ruidos de portazos y el taconeo de alguien que bajaba corriendo las escaleras. La puerta principal se abrió de golpe y salió una distinguida pareja que parecía desear solo una cosa: ¡largarse de allí lo antes posible!

Un joven corpulento, embutido en un traje demasiado estrecho, les seguía agitando los brazos e intentando detenerles.

—¡Volved! ¡No es nada! ¡Solo ha sido un golpe de viento! ¡¿No os creeréis de verdad esas tonterías?!

—¡Pero qué va a ser un golpe de viento! —replicó alterada la mujer, sin dejar de correr—. ¡Las puertas no se abren solas!

—¡Y las escaleras no cambian de sentido, así de repen-

te! —añadió el hombre abriendo la portezuela de su coche, que estaba aparcado frente a la villa.

Al ver que se alejaban en una nube de polvo, el joven fue presa de una rabia incontenible y empezó a patear el suelo, llenándose de polvo sus bonitos zapatos de piel brillante. Después levantó la cabeza hacia el piso superior y vociferó:

—¡Esta me la pagarás, Larry! ¡Me la pagarás cara!

Después cogió una piedra y la lanzó contra una de las ventanas: el cristal se rompió en mil pedazos.

—¡Da la cara, maldito impostor! ¡Antes o después te haré salir de ahí! ¿Me has oído?

Finalmente se subió a un coche deportivo rojo y salió a toda velocidad, haciendo derrapar las ruedas en la gravilla.

Me quedé allí, pasmado, revoloteando en el aire: ¿quién era aquella gente y qué estaba pasando?

Instintivamente miré hacia la ventana rota, y lo que vi me heló la sangre en las venas: ¡el cristal que acababa de ver romperse en mil pedazos había «cicatrizado» milagrosamente! Sí, habéis oído bien: ¡el agujero de la ventana se había arreglado solo! ¡Y un segundo después los postigos de madera se cerraron de golpe, como para protegerse de más peligros!

¡Miedo de los remiedos! ¡En cuanto vi aquello, recorrí la distancia que me separaba de Martin en solo tres segundos!

—¿Qué te pasa, Bat? —me preguntó él alarmado, cuando me vio volver—. ¡Tienes cara de haber visto un acto de brujería!

—¡Exacto! —repliqué sin aliento.

3

QUIEN BUSCA ENCUENTRA... ¡PROBLEMAS!

urante el camino de vuelta le conté todo lo que había visto y oído.

Me había esperado un poco de asombro, pero Martin (ya sabéis cómo es) se limitó a decir, tranquilo:

—¿Has dicho «Larry»? ¿Seguro que es el nombre que ha gritado ese tipo?

—¡Segurísimo! Pero ¿qué me dices del cristal que se arregla solo?

—No sé. Pero ahora debemos centrarnos en volver a casa, ¡con esta niebla no va a ser nada fácil!

Al oír aquellas palabras, me invadió el pánico. Sí que estaba a punto de ponerse el sol, y no tardaría mucho en anochecer, ¡pero os puedo asegurar que no había el menor rastro de niebla! Observé las gafas de Martin y mis sospechas se confirmaron: estaban completamente empañadas, lo que solo significaba una cosa: ¡que se nos venían encima un montón de problemas!

Cuando llegamos a casa, Martin me dejó la tarea de explicarles a Leo y a Rebecca cómo había ido nuestra expedición y, después de contestar con mucha diplomacia a las preguntas de su padre («Nada especial, no he podido entrar, pero Bat ha hecho algunas fotos...»), empezó a rebuscar entre sus libros. Yo estaba a punto de llegar al momento más emocionante, el del «cristal autorreparable», cuando le oí gritar:

—¡Ya lo tengo!

—¿Qué es lo que tienes, hermanote? —le preguntó Leo—. ¿Un cerebro de recambio?

—¡Larry Price! ¿Recordáis lo que decía el periódico de ayer sobre el famoso parapsicólogo que había investigado Thrillmore House? Pues bien, resulta que es el autor del prólogo de uno de los relatos más famosos de Edgar Alan Papilla: ¡*La casa embrujada*, precisamente!

—¡Pero qué bonita coincidencia! —continuó diciendo irónico Leo—. ¿No te mueres de tanta felicidad, Bat?

—Escuchad lo que dice —siguió Martin, impertérrito—. «Sabed, queridos lectores, que, en este relato, mi querido amigo Papilla no ha tenido que utilizar mucho la imaginación. Los hechos que cuenta, en efecto, describen con mucha fidelidad lo que tuve la fortuna de descubrir mientras inspeccionaba una extraña casa, cuya propietaria decía que estaba "embrujada". Durante mi investigación descubrí con terror que no se equivocaba, y se lo conté todo a mi estimado Edgar para que le sacara provecho. La casa de la que hablo todavía existe, pero no os revelaré su nombre: ¡No querría que se os ocurriera ir a visitarla!» ¡Habla de Thrillmore House, no hay ninguna duda! —acabó Martin, frotándose las manos—. ¡Estamos en el camino correcto!

—¿Para poder llegar adónde? —preguntó Leo—. ¿Al desastre?

—¡A la verdad! —replicó Rebecca, emocionándose enseguida con el tema—. Lo único que tenemos que hacer es localizar a ese Larry Price y...

—... ¡y hacerle algunas preguntillas para saber qué era eso tan divertido que descubrió en la casa! —acabó Martin.

—¿Divertido? —dije yo con fastidio—. ¡Yo hoy no me he divertido ni un pelo!

—¡Leo, enciende el ordenador! —ordenó Rebecca, impaciente—. Tenemos que dar con ese tal Price...

—Y mientras tanto yo podría leeros *La casa embrujada* —propuso Martin—. ¿Os apetece?

—Tanto como un helado con sabor a calcetín sucio —replicó Leo, disgustado.

Al rato, mientras Martin terminaba emocionado la lectura del relato de Papilla, Leo descubrió el escondrijo de Price.

—Está en Quackery —masculló desilusionado—, un pueblecito al que se puede ir en bicicleta desde Fogville. ¡Por desgracia!

—Entonces, decidido —dijo Martin—. Iremos mañana mismo. ¿Alguna pregunta?

—Bueno, sí, solo una —contestó Leo—: ¿por qué nunca nos limitamos a meternos en nuestros propios asuntos?

4

BAJONES DE AZÚCAR

Al día siguiente, de buena mañana (¡cómo odio despertarme de «buena mañana»!), ya habíamos anunciado a la familia nuestra excursión a Quackery. Y si había alguna duda sobre su utilidad, lo que el señor Silver leyó en el *Eco de Fogville* hizo que desapareciera al instante.

—Pero bueno —dijo sorprendido—. ¡Vuelven a hablar de Thrillmore House! Escuchad: «Entrevista exclusiva a la pareja que iba a comprar la antigua mansión: "¡Vimos que las escaleras se movían y que las puertas se abrían y cerraban solas!" ¿Es posible que el parapsicólogo Larry Price tuviera razón, años atrás? ¿La casa está realmente embrujada? La respuesta de Milo Sgarret, el propietario: "Solo son habladurías estúpidas. ¡Alguien quiere impedir que venda la villa, pero no lo conseguirá!"».

—¿A quién se referirá...? —dijo la señora Silver.

—Puede que a alguien interesado en hacer creer que la casa está encantada, para que caiga el precio —se aventuró su marido—. ¿Y si la compramos nosotros?

A Leo se le atragantó la leche.

—¡Por Dios, George! —se inquietó la señora Silver—. ¡No debes bromear con estas cosas! ¿Y si fuese todo verdad?

Con aquella inquietante duda flotando en el aire, nos montamos en las bicis y nos fuimos. Mi encantadora amiga Rebecca había fijado un asientito en su manillar ¡especialmente para mí! ¡El único fastidio es que eso me obligó a ponerme un ridículo casco de protección!

Pedaleamos en fila india casi una hora, con Leo a la cola resoplando como un rinoceronte.

—¿Qué llevas ahí dentro? —le pregunté, señalando la maletita que tenía sujeta al portaequipajes.

—¡Productos de primera necesidad! —contestó él jadeando—. Para los bajones de azúcar... ¡af, buf!

Finalmente, un letrero de carretera nos indicó que habíamos llegado a nuestro destino. Martin giró a la derecha y después a la izquierda, y se detuvo frente a una casa que parecía salida de un parque de atracciones: las ventanas eran redondas, el techo parecía la joroba de un camello, y en la fachada había un escaparate con toda clase de chismes raros: fuentecillas humeantes, libros antiguos encuadernados en piel, piedras fosforescentes y animales disecados.

Un cartel de cobre algo oxidado decía: «El antro de Merlín».

—Es aquí —dijo Martin, bajando de la bici.

—¿Qué es esto? —preguntó Leo, sacando un bocadillo de su maletita—. ¿El quiosco de los majaretas?

Cuando entramos en la tienda, el tintineo de una campanilla atrajo la atención del dueño, que se apresuró a venir: era un hombrecillo delgado, vestido realmente como el mago Merlín, con un cómico sombrero de terciopelo azul cubriéndole la calva y una perilla blanca tipo cabra montesa. Nos sonrió tras sus gruesas gafas, pero, desde la primera pregunta, nos dimos cuenta de que, aunque tenía todos los tornillos, dos o tres de ellos debían de estar flojos.

—¡Larry Price, maestro de esoterismo, para serviros! Por vuestra expresión diría que estáis buscando un «navegador satélite de ultratumba» o bien un «traductor fantasmático». ¿Digo bien?

—Es incluso peor de lo que imaginaba... —masculló Leo, volviéndose hacia mí—. ¡Esto es el supermercado de los majaretas!

5

ARTEFACTOS ANTICALVICIE

o buscamos nada en concreto, gracias —replicó Martin—. Solo queríamos...

—¡Por todos los espíritus burbujeantes! —El hombrecillo brincó al verme—. ¿Qué es esto?

—¿No ha visto nunca un murciélago? —preguntó ofendida Rebecca, cogiéndome en brazos.

El hombrecillo lanzó una risita, confuso.

—Sí, claro... ¡un murciélago! Así de pronto no lo había reconocido... Bueno, ¿de qué hablábamos?

—Verá, señor Price —siguió Martin—, soy un gran admirador de Edgar Alan Papilla, y el otro día estaba leyendo uno de sus relatos, *La casa embrujada*, y me tropecé con su maravilloso prólogo. ¿Lo recuerda?

—Ah, ¿de verdad? —comentó él aturrullado—. Ha pasado tanto tiempo...

—Pero estos últimos días se ha vuelto a hablar de esa casa —intervino Rebecca—. Habrá leído usted también las últimas noticias sobre Thrillmore House...

El hombre dio tal respingo que el sombrero de terciopelo azul cayó al suelo.

—Yo ya no tengo nada que ver con esa casa, y no quiero volver a oír hablar de ella nunca más. ¿Entendido? Y ahora, si me disculpáis...

Hizo ademán de irse, pero la última frase de Martin le indujo a quedarse.

—¡Sabemos por qué el señor Sgarret la tiene tomada con usted y por qué le acusa de querer impedir que venda la villa! Digamos que, quizá, podríamos ayudarle a resolver el tema...

Al oír aquellas palabras, Price se volvió y nos estudió un buen rato con la mirada, como calculando si podía fiarse de nosotros.

Al final dijo, suspirando:

—Venid a mi trastienda. Allí podremos hablar mucho mejor...

Lo que nos encontramos allí atrás aún nos dejó más pasmados. Jamás había visto juntos tantos artilugios estrambóticos, y Price parecía muy orgulloso de poder enseñárnoslos.

—Esto es un transformador de raíces pilosas... Aquello, en cambio, es un intensificador de ectoplasma.

—¿Y aquello que parece una tostadora? —le preguntó Leo, emocionadísimo.

—Aquello, querido jovencito, ¡es un instrumento capaz de transformarte en una cabra!

—¡Impresionante! —exclamó Leo, fascinado.

—¡Pero más bien inútil! —bromeó Rebecca—. ¡El hombre ya está como una cabra!

Price nos enseñó dos fotos, que dio por auténticas, ¡del tristemente famoso «hombre murciélago de Cornualles»! ¡Por todas las alas negras del planeta! ¡Qué bicho más horripilante! No sabía si creérmelo o no, pero Martin se encargó de ponernos los pies en la tierra.

—Milo Sgarret está convencido de que usted es el responsable de los extraños sucesos que se han producido en Thrillmore House, ¿verdad?

La expresión con la que Price le miró nos dijo que nuestro «cerebrín» había dado en el clavo. Como de costumbre.

6

UN FAMOSO CAZAFANTASMAS

Harry Price nos invitó a todos a sentarnos y por fin se decidió a hablar.

—¡¡¡Ese granuja de Sgarret!!! ¡Me ha amenazado con demandarme! ¡Pero yo no he hecho nada! ¿Sabéis de qué me ha acusado? ¡De utilizar vulgares trucos de charlatán para asustar a las personas que están interesadas en comprar Thrillmore House, y también de hacer correr la voz de que la casa está «embrujada»!

—¿Y por qué iba a hacer usted semejante cosa? —preguntó Rebecca.

—¡Para hacerme publicidad! —contestó el hombrecillo, sacudiendo la cabeza.

—¿Publicidad? —insistió ella—. No lo entiendo...

Price suspiró.

—Hace unos años, Emily Lafayette, tía de Milo Sgarret y última propietaria de la villa, me llamó para que investigara los extraños fenómenos que se estaban produciendo en aquella mansión: paredes que se movían, fuegos que se encendían solos en la chimenea, cuadros que de pronto cobraban vida... Lo cierto es que en aquella época se me conocía bastante como «cazafantasmas», pero mis investigaciones sobre Thrillmore House me hicieron famoso en toda Europa. ¡Y ahora Sgarret no solo me acusa de querer recuperar mi fama sino también de haber engañado a su tía Emily para salir en los periódicos y alcanzar el éxito y la fama!

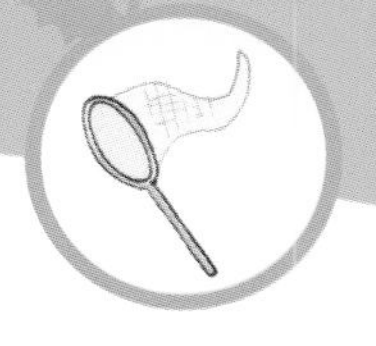

—¿Y no es verdad? —preguntó Rebecca.

—¡Desde luego que no! —se defendió el pobrecillo, poniéndose de mil colores—. La verdad es que salí huyendo aterrorizado de aquella casa solo dos semanas después de empezar a investigar, ¡y no quise volver a oír hablar de ella! ¿Y sabéis por qué?, porque descubrí una terrible verdad: aquella casa... ¡realmente estaba encantada!

Un extraño silencio descendió en la trastienda. Quizá porque todos dejamos de respirar.

Price lanzó una risita histérica y siguió:

—¡No me lo esperaba ni yo! Pero, cuando me convencí de que no se trataba de un truco, sino que eran hechos inexplicables y terroríficos, me negué a seguir. Se lo dije a la

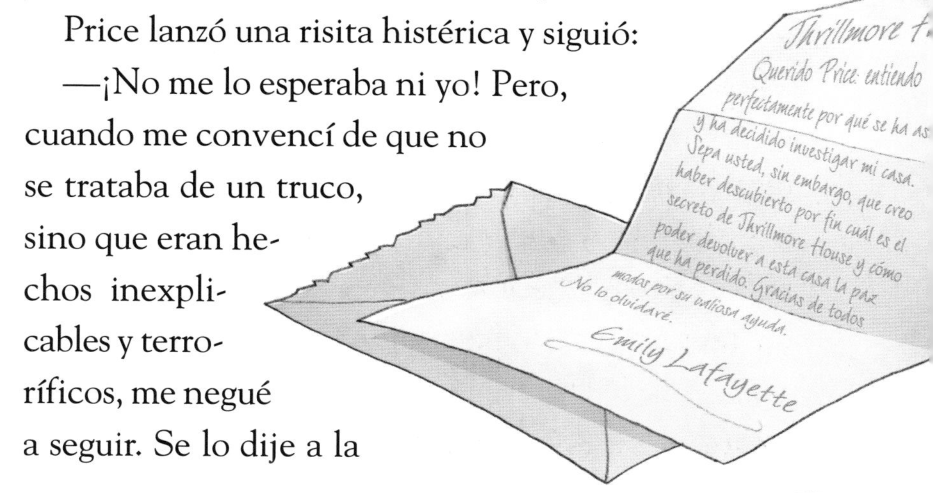
Thrillmore
Querido Price: entiendo perfectamente por qué se ha as
y ha decidido investigar mi casa.
Sepa usted, sin embargo, que creo haber descubierto por fin cuál es el secreto de Thrillmore House y cómo poder devolver a esta casa la paz que ha perdido. Gracias de todos modos por su valiosa ayuda.
No lo olvidaré.
Emily Lafayette

señorita Emily y ella me escribió una nota que todavía conservo.

Se levantó, abrió un armario a sus espaldas y sacó un sobre rosa pálido que abrió con cuidado.

—Escuchad qué me escribió: «Querido Price: entiendo perfectamente por qué se ha asustado y ha decidido dejar de investigar mi casa. Sepa usted, sin embargo, que creo haber descubierto por fin cuál es el secreto de Thrillmore House y cómo poder devolver a esta casa la paz que ha perdido. Gracias de todos modos por su valiosa ayuda. No lo olvidaré. Emily Lafayette».

—¿El «secreto de Thrillmore House»? —dijo Leo, hablando por todos.

—No le pregunté cuál era. Es más, dejé de ocuparme totalmente de los espíritus y los duendes y me dediqué a cosas más serias.

—¿Como el transformador de raíces pilosas? —siguió preguntando Leo, con aire dubitativo.

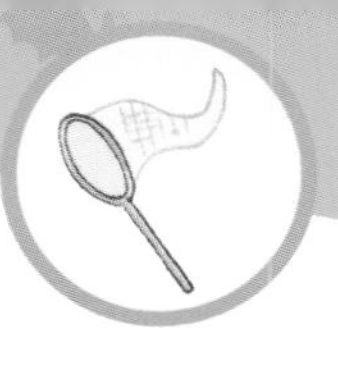

—¡Con estas cosas no se bromea, jovencito! —replicó Price, acariciándose nerviosamente la calva—. Este juguetito podría hacer feliz a muchas personas, ¿sabes?

7

¡PAPILLA NUNCA MIENTE!

olvimos a casa bastante excitados, pero con varias preguntas todavía sin respuesta. Por ejemplo: si el señor Price no tenía nada que ver con los fenómenos espiritistas del día anterior, ¿qué los había causado? ¿Y cuál era el secreto del que hablaba la antigua propietaria?

Después de comer nos fuimos al cuarto y nos dedicamos a nuestras actividades favoritas: Rebecca probó unos pasos de danza, Leo encendió el ordenador y yo me colgué de la lámpara para comprobar el dicho de mi hermano Blasco: «¡Patas arriba y cabeza abajo, las ideas salen a destajo!».

Martin cogió distraídamente el relato de Papilla. Justo cuando acababa de cerrar los ojitos, le oí exclamar:

—¡Ya lo tengo! Escuchad —dijo, leyéndonos un pasaje de la historia—. «Nadie había explorado a fondo aquella casa. Si lo hubiera hecho, venciendo la natural repulsión humana por los espíritus, habría descubierto, antes o después, que había otra forma de entrar: un pasadizo secreto que llevaba directamente del parque al interior de la casa y viceversa...»

—¿Y qué? —le interrumpió Leo—. Solo es un relato, mi querido soñador...

—¡Pero un relato basado en una experiencia real!

—¿Estás diciendo que podría haber un pasadizo secreto que lleva al interior de la casa? —preguntó Rebecca, incrédula.

—¡Exacto!

—¿Y si Leo tiene razón? —intervine yo, percibiendo que el peligro se acercaba—. ¿Y si solo es el fruto de la fantasía de un escritor?

—¡El gran, sublime, Edgar Alan Papilla no miente nunca! —fue la categórica respuesta de Martin.

Rebecca nos miró.

—Si es así, no hay tiempo que perder. ¡Tenemos que volver allí lo más pronto posible!

—¿Co-cómo de pronto? —balbucí.

—Esta noche —fue la horrible respuesta de Martin.

Leo y yo nos miramos como dos condenados a muerte, pero sabíamos que no se puede desobedecer al destino. ¡Ni tampoco a Rebecca y a Martin!

Hacia la medianoche, contra toda prudencia y sentido común, volvíamos a estar ante la verja entrecerrada de Thrillmore House acompañados de nuestras bicis, las sombras de la noche y... ¡un gigantesco remiedo!

—Vosotros dos buscad por la derecha de la tapia —nos ordenó Martin a Rebecca y a mí—. Leo y yo iremos por el otro lado. El primero que vea algo, avisa a los demás por el transmisor de radio. ¿Preguntas?

—Sí, una —se aventuró Leo—. ¿Podemos volver a casa? ¡Me estoy haciendo pipí!

No le recompensaron con una respuesta. Lástima, porque yo habría estado encantando de volver con él. En lugar de eso, me encontré revoloteando sobre el hombro de Rebecca, que iba iluminando la tapia con la linterna en busca del pasadizo. A mí la luz no me hacía falta. Me bastó el sónar para localizar, unos treinta metros más allá, una abertura oculta en la tapia.

—¡Ahí abajo noto algo! —susurré. Nos metimos con cautela entre las espesas ma-

tas que cubrían la tapia y, bajo una maraña de ramas llenas de espinas, descubrimos una vieja puertecita de madera cayéndose a trozos y cerrada con una cadena oxidada.

Rebecca avisó por radio a los demás inmediatamente.

—¡Lo hemos encontrado!

—¡Lástima! —le salió del corazón a Leo.

8

ANTIGUOS RELOJES DE PRECISIÓN

Un minuto más tarde volvíamos a estar todos juntos otra vez. Unas tenazas salidas de la mochila de Leo nos sirvieron para poder cortar la cadena. Detrás de la puerta se abría un estrecho pasadizo subterráneo. Si alguien, al vernos desaparecer allá abajo, nos hubiera tratado de locos, ¡le habría dado mis felicitaciones!

No tardamos en llegar al final de aquel incómodo trayecto. Martin, que iba delante, señaló sin hablar

otra puerta, larga y estrecha, ante la que había un par de escalones de piedra. La empujó con cautela, ¡provocando un chirrido digno de una película de terror!

Al entrar, descubrimos con sorpresa que la puertecilla era, en realidad, el cierre de la caja de un reloj de péndulo de madera que se encontraba al final del pasillo principal de... ¡Thrillmore House! ¡La primera de las doce campanadas de medianoche provenientes del reloj nos hizo brincar de terror!

—Este mecanismo es muy preciso —fue, en cambio, el comentario «técnico» de Martin.

Leo, mientras tanto, deslizó frenéticamente la luz de la lin-

terna por los viejos muros, que estaban forrados de tela.

Había un gran silencio. El mismo que precede a las catástrofes. Y en efecto, un instante después, una hilera de lámparas fijadas a la pared empezó a encenderse y apagarse, mientras la larga alfombra roja que teníamos bajo los pies comenzaba a moverse como si tirara de ella una fuerza invisible.

—¡Martin, socorrooo! —gimió Leo, intentando no caerse.

—¡Vamos, salgamos de aquí, y rápido! —gritó Rebecca, al tiempo que iba corriendo pasillo abajo. A mí casi me aplastó la puerta, que se cerró de golpe mientras cruzaba.

Acabamos en una gran sala con los muebles cubiertos por sábanas blancas. Los postigos de las ventanas empezaron a abrirse y cerrarse con estruendo, mientras un fortísimo viento hacía volar las sábanas. Una de ellas se puso a perseguir a Leo aullando como un fantasma. Rebecca intentó acercarse con prudencia a la chimenea que, abriéndose de par en par como la boca de un dragón, empezó a escupir largas lenguas de fuego mientras el atizador se levantaba solo en el aire, apuntando directamente hacia Martin.

—¡Cuidado, detrás de ti! —apenas tuve tiempo de gritar.

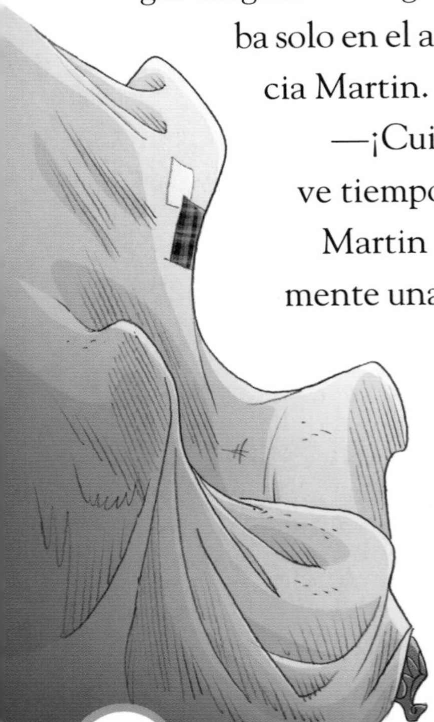

Martin paró el golpe agarrando rápidamente una banqueta y empezó a batirse en duelo contra el palo de hierro como un auténtico mosquetero. En ese momento, los cojines del viejo sofá estaban moliendo a golpes la cabeza de Leo, que corría de un lado a otro de la habitación suplicando pie-

dad. Incluso yo, que revoloteaba a tres metros del suelo y creía estar a salvo, esquivé por un pelo el estrujón de la lámpara, ¡cuyos «brazos» cobraron vida repentinamente como si fueran los tentáculos de un pulpo!

—¡Todos hacia la puerta, rápido! —nos ordenó Martin a la desesperada, mientras seguía batiéndose con el atizador.

El viento no dejaba de arremolinarse con furia, haciendo que casi no pudiéramos mantener el equilibrio.

Cuando por fin logramos reunirnos todos con Martin, él intentó bajar el pomo de la puerta, pero se lo encontró trabado.

—Estamos atrapados... —murmuró, mientras todo el mobiliario de la habitación se dirigía hacia nosotros, cerrando el cerco.

Después, las llamas de la chimenea se apagaron de golpe y la habitación se quedó a oscuras.

—Parece que están dispuestos a atacarnos... —gimoteó Leo—. ¿Qué hacemos?

Nadie respondió.

El haz de luz de la linterna de Rebecca iluminó casualmente el cuadro que colgaba sobre la chimenea: en él aparecía una mujer anciana con expresión triste. A sus espaldas, Thrillmore House, con las contraventanas cerradas, hundida entre los desnudos árboles del enorme parque.

En el rótulo del marco se leían un nombre y dos fechas: «Penelope Lafayette. 1771-1846». Del cuello de la mujer colgaba una pequeña llave de oro.

Como si la mujer pintada en aquel cuadro pudiera oírla, Rebecca le dirigió una afligida súplica.

—¡No tenemos malas intenciones, señora! —gritó—. ¡Solo somos unos niños!

Transcurrió un interminable instante de silencio. Después, el viento cesó de golpe, los muebles volvieron a su sitio y el fuego de la chimenea volvió a encenderse solo.

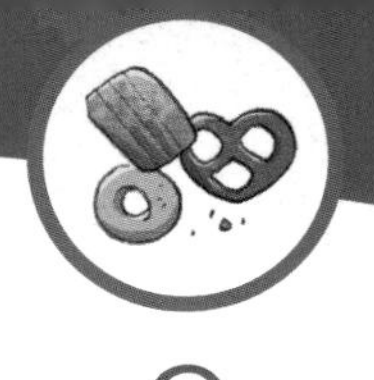

9

GALLETAS AL MOHO

Lo que sucedió después resulta muy difícil de explicar, incluso para un consumado escritor como yo.

Bajo la melancólica mirada de la mujer del cuadro, dos sillones se deslizaron de pronto silenciosamente, sorprendiendo a Martin y Leo por la espalda y obligándolos a sentarse.

—Por el amor de Dios —gimió Leo— ¡vámonos de aquí antes de que sea tarde!

Pero, como para tranquilizarle, una caja de metal se alzó de una repisa y voló hacia él con la tapa abierta.

—¡Galletas! —exclamó mi goloso amigo, abriendo los ojos de par en par—. Aunque tienen un color verdusco muy poco tentador…

Martin, en cambio, se encontró una banqueta bajo los pies y un viejo libro de relatos abierto sobre las rodillas. Evidentemente, «alguien» sabía que le encantaba leer.

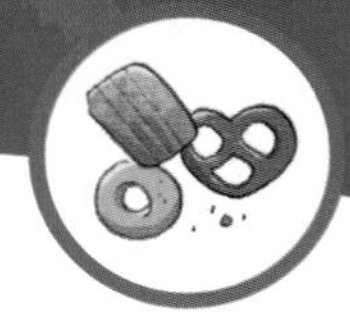

Rebecca, por su parte, no lograba apartar la mirada del cuadro.

—Tengo la sensación de que quiere decirnos algo. Algo triste... ¡eh, mirad, ahora sonríe!

—Hermanita, ¿estás segura de que te encuentras bien? —le preguntó Leo viendo, como nosotros, que la expresión de la mujer no había cambiado.

—¡Os digo que la he visto sonreír! —insistió tozuda Rebecca.

—¿Quién creéis que es? —pregunté yo para aligerar la tensión.

—A juzgar por el apellido, diría que es una antepasada de los propietarios —observó Martin.

—Y, a juzgar por la fecha —añadió Rebecca—, una antepasada muy antigua. ¿Alguien sabe cómo se le habla a un cuadro?

—Apuesto a que si Larry Price hubiera estado aquí, habría utilizado uno de sus artilugios... —contesté yo.

—¿Uno como este? —intervino Leo, sacando de la mochila un monito de peluche con un organillo al cuello y una llave de metal en la espalda.

—¿Qué piensas hacer con ese juguete? —pregunté un poco escéptico.

—No es un «juguete», como dices tú. En la etiqueta ponía «Analizador de partículas espectrales».

—¿Quieres decir que lo has robado del laboratorio de Price? —le acusó Martin.

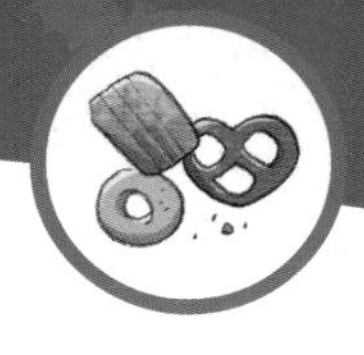

—¡Solo lo he cogido prestado! He pensado que podría sernos útil... —se justificó Leo.

—Puede que no haya sido tan mala idea —le tranquilizó su hermano—. Vamos a ver si funciona...

Leo dio cuerda al monito y lo dejó en el suelo. El juguete se dirigió inmediatamente hacia el cuadro y cuando llegó a la pared empezó a escalarla como un

alpinista en miniatura. Al llegar al marco se detuvo y del organillo salió una música muy dulce.

—¡Pero si es una cajita de música! —exclamé—. ¡Qué bonito!

El monito, entretanto, había levantado una patita y la había apoyado en el marco. Pero entonces se le acabó la cuerda y cayó al suelo.

Leo lo recogió y comentó:

—¡Menuda tomadura de pelo! Menos mal que no he pagado...

—¡Eh, me ha vuelto a sonreír! —exclamó Rebecca, señalando el retrato—. ¿Qué significa eso?

—No lo sé —admitió Martin, al tiempo que fruncía el ceño—. Hay algo que se me escapa...

En ese momento, el estruendo de una puerta que se abría de golpe interrumpió nuestras investigaciones. Una cegadora luz nos dio de lleno en los ojos, mientras una voz que ya había oído antes ordenaba:

—¡Cogedlos y atadlos bien fuerte!

Casi no tuve tiempo de esconderme en la mochila de Rebecca. Mientras salíamos de la habitación, lancé una última ojeada al misterioso retrato de la mujer. Y esta vez yo también estaba dispuesto a jurar que la había visto cambiar de expresión: ¡parecía muy enfadada!

10

¡UNA SOLUCIÓN CON DINAMITA!

Nada más ver el deportivo rojo en la entrada de la casa, comprendí que volvíamos a tenérnoslas con su siniestro propietario: ¡Milo Sgarret!

—Pero mira qué tenemos aquí: ¡son tres jovencitos metomentodo! —dijo él en cuanto estuvimos fuera—. ¡Os estaba esperando! ¿Sabíais que esto es una violación de domicilio? ¡Es un delito muy grave!

—Bueno, podemos explicárselo, señor... —intentó defenderse Martin.

—¡Silencio! Os ha enviado Larry Price, ¿no es así? Apuesto a que estabais montando otra de sus fanfarronadas «espectrales» para asustar a mis clientes.

—¡Eh, un momento! Nosotros no tenemos nada que ver con Larry Price —replicó decidida Rebecca.

—Eso dejaremos que lo decida la policía, ¿qué te parece, señorita?

En ese momento, Leo entró en escena con una de las interpretaciones más conmovedoras que he visto en mi vida: ¡la del pobre chico que está desesperado!

—¡Se lo suplico, tenga piedad de nosotros! —empezó a gimotear, arrojándose a los pies de Sgarret—. ¡No queríamos hacer nada malo! Es mi hermano, que tiene una «fijación» con los espíritus. ¡Es un auténtico fanático!

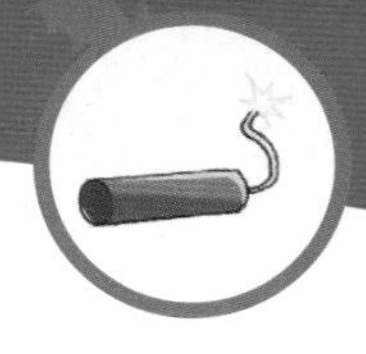

Ha leído las noticias en el periódico y nos ha arrastrado hasta aquí para curiosear un poco. ¡Yo ni siquiera quería venir! ¡Lo sé, es un hecho grave, pero tenga misericordia! ¡Le juramos que no volveremos a poner los pies en su casa! ¡Se lo juro!

Sus gritos y su desesperación eran tan desgarradores que al final Milo renunció al propósito de denunciarnos. Se limitó a llevarnos a casa donde, ante dos incrédulos señores Silver sacados de la cama en plena noche, explicó todo lo ocurrido.

—¡Esta vez no pondré una denuncia! —confirmó, antes de irse—. Pero si por casualidad veis a Larry Price antes que yo, decidle que sus tretas no me asustan. Es más, decidle que la historia de la casa «embrujada» se ha acabado: ¡mañana por la mañana demoleremos Thrillmore House con dinamita y la reconstruiremos desde sus cimientos! ¡Buenas noches!

Cuando el señor Silver se volvió hacia nosotros, me di cuenta de que estaba realmente furioso.

—¡Desde ahora mismo estáis oficialmente castigados! —sentenció—. Ninguno de vosotros podrá salir en toda la semana. ¡Y ahora, a vuestro cuarto!

Se había acabado. Es decir, se habría acabado si Rebecca, mientras se cambiaba para meterse en la cama, no se hubiera encontrado en el bolsillo una cosa que no se habría esperado nunca.

—¿Qué es esto? —preguntó Martin contemplando la cajita que su hermana sostenía en la mano y miraba con aire incrédulo.

—No sé... Parece un estuche pequeño —contestó ella—. Y hay una nota: «¡ Mi salvación está en vuestras pequeñas manos! P. L.». ¿Qué creéis que significa?

—Que podría ser de Penelope Lafayette —dedujo rápidamente Martin—. ¡La mujer del cuadro!

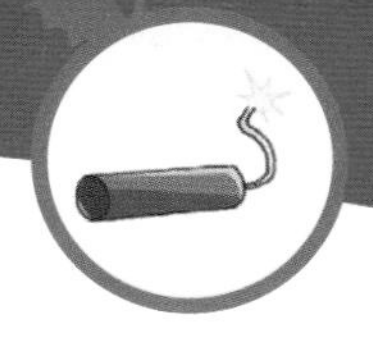

—¡Esta sí que es buena! —Leo rió nervioso—. ¿Me explicas cómo puede un cuadro escribir una nota?

Martin no contestó. Al igual que los demás, estaba mirando fijamente el contenido del estuche: una pequeña llave de oro, idéntica a la que tenía en el cuello la mujer del retrato de Thrillmore House.

—¿Sabéis qué os digo? —dijo Leo—. ¡Que estoy encantado de que nos hayan castigado! ¡Así a ningu-

no de nosotros se le pasará por la cabeza ir a charlar con cierta noble dama que tiene cientos de años!

—Nosotros no iremos, desde luego —estuvo de acuerdo Martin, volviéndose hacia mí—. Pero puede que algún otro...

En cuanto noté encima la mirada de aquellos tres, intuí mi triste suerte.

Y naturalmente la acepté, ¡contra todo instinto de supervivencia!

11

¡QUÉ INTELIGENTES SON LOS MONOS!

uando volvía a dirigirme a Thrillmore House, tenía una telecámara sujeta sobre la oreja derecha, un minúsculo transmisor acoplado a la oreja izquierda, una preciosa llavecita de oro colgada al cuello... ¡y un remiedo espectacular por todo el cuerpecillo!

El problema no fue encontrar el camino a oscuras, sino cuando encontré bloqueado, con unas gruesas tablas de madera, el pasadizo que llevaba a la casa.

—¡Esto es obra de Milo Sgarret! —sentenció la voz de Martin que, gracias a la videocámara, seguía mis movimientos en la pantalla del ordenador—. ¡Prueba por la chimenea!

Leo también me animó, a su manera.

—¡Piensa que eres Papá Noel!

La verdad es que solo pude pensar en cómo no matarme bajando por el tubo de la chimenea; y cuando el hollín se me metió en los ojos y la boca, empecé a resbalar de mala manera y acabé aterrizando de trasero en el suelo.

Por suerte, el recibimiento fue bastante mejor que en la ocasión anterior: el fuego de la chimenea se encendió sin alborotos y ningún objeto me saltó encima. Miré instintivamente hacia la mujer del cuadro, que me devolvió una mirada melancólica y poco alentadora.

—¡Vamos, Bat! —graznó Rebecca—. ¡Mira a tu alrededor!

Empecé a inspeccionar sistemáticamente la gran sala, volando a ras de pared o examinando con cautela en los cajones de los muebles, entre los libros, bajo las alfombras...

Oí por los auriculares la espontánea pregunta de Leo:

—Pero ¿qué estamos buscando, exactamente?

—¡Buena pregunta! —repliqué yo, metiéndome en un jarrón de cobre lleno de telarañas.

—Si al menos este artilugio hubiera funcionado... —siguió Leo, que se había encontrado entre las manos el monito con el organillo, el «analizador de partículas espectrales». Le dio cuerda sin darse cuenta y lo puso sobre el escritorio. El muñequito dio unos pasos y se pegó como un imán a la lámpara de metal que había en la repisa. Casi al mismo tiempo, la habitación se llenó con el sonido de la cajita de música.

—¡Eh! —protesté en cuanto oí la musiquita—. ¡Mientras vosotros estáis ahí divirtiéndoos, aquí hay alguien que está arriesgando las alitas!

—¡Espera, Bat! —gritó entonces Martin, muy emocionado—. Puede que este artilugio no sea lo que parece...

Lo cogió y lo acercó a todos los objetos de metal de la habitación. El organillo se puso a sonar con todos y cada uno de ellos.

—¡Qué va a ser un analizador de espíritus! —exclamó finalmente—. ¡Esto en realidad es un detector de metales!

Rebecca, como de costumbre, fue la más rápida en sacar conclusiones.

—¡Hace poco este monito ha escalado hasta el retrato de Penelope Lafayette! ¡Rápido, Bat, ahí debajo hay algo!

Volé hasta la campana de la chimenea, levanté con dificultad el marco, desenganché el cuadro y lo dejé en el suelo cuidadosamente. Volví a mirármelo

¡y tuve la absoluta certeza de que la mujer me había guiñado el ojo! Estaba tan pasmado que tardé un poco en ver qué había aparecido en la pared de detrás del cuadro. Martin, en cambio, lo captó al vuelo.

12

LA VERDAD SE ESCONDE EN LAS PAREDES

s una caja fuerte! —exclamó nuestro «cerebrín».

Volé hasta la pared de encima de la chimenea y vi una puerta. La cerradura dorada me ayudó a seguir el camino correcto.

—¡Para una cerradura de oro imagino que se necesitará una llave de oro! —exclamé, cogiendo la que llevaba colgada al cuello.

Me llegó un murmullo por los auriculares: los hermanos Silver me estaban aplaudiendo.

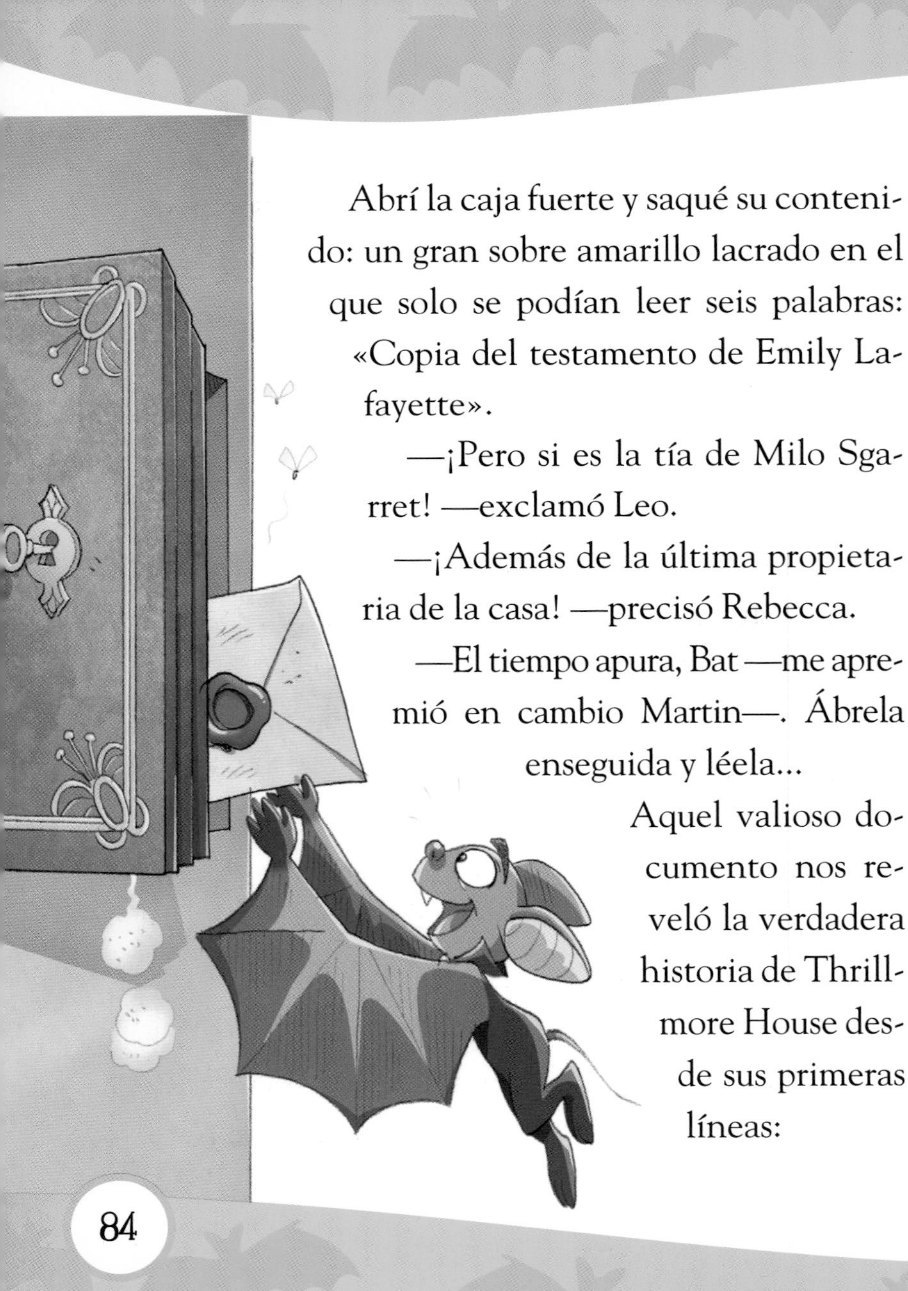

Abrí la caja fuerte y saqué su contenido: un gran sobre amarillo lacrado en el que solo se podían leer seis palabras: «Copia del testamento de Emily Lafayette».

—¡Pero si es la tía de Milo Sgarret! —exclamó Leo.

—¡Además de la última propietaria de la casa! —precisó Rebecca.

—El tiempo apura, Bat —me apremió en cambio Martin—. Ábrela enseguida y léela...

Aquel valioso documento nos reveló la verdadera historia de Thrillmore House desde sus primeras líneas:

Yo, Emily Lafayette, en plena posesión de mis facultades, declaro en este testamento que deseo respetar la última voluntad de mi lejana tía abuela Penelope Lafayette, que hizo construir esta casa hace ya muchos años. Voluntad que ha sido repetidamente traicionada por sus herederos, hasta hoy...

¿Sentís curiosidad por saber cuál era su última voluntad? Muy sencillo: como no se había casado, la riquísima tía abuela no había tenido hijos. Así que había decidido que, a su muerte, la villa debía convertirse en un orfanato: ¡el único modo, creía ella, de poder llenarla por fin de vida! Pero, desgraciadamente, los herederos habían ignorado su voluntad y habían utilizado la casa solamente para su placer. Entonces Thrillmore House se había «revelado», explicaba Emily en el testamento: sus ventanas, sus paredes, los mismísimos muebles, se habían enfrentado a aquellos malvados herederos y también a todos los que les habían seguido, ¡haciéndolos huir uno tras otro!

Hasta que, un buen día, Thrillmore House había llegado a sus manos.

Con el corazón en un puño, seguí leyendo:

Ahora, tras reconstruir esta extraña y tristísima historia a través de los documentos encontrados en la biblioteca familiar, y habiendo demostrado plenamente el motivo por el que la casa, con razón, se ha considerado «embrujada», he decidido donar la propiedad entera de Thrillmore House a nuestra ciudad, para que la conviertan en una moderna casa de infancia.

—¡Por el sónar de mi abuelo! —exclamé estupefacto—. ¡Pero entonces todo era verdad!

—¡Lo sabía! —exclamó Martin—. ¡Y si no detenemos a ese impostor de Milo Sgarret jamás se cumplirá la voluntad de Penelope y Emily Lafayette!

—¡Debemos impedirlo! —se exaltó Rebecca.

—¿Cómo? —preguntó Leo, como siempre—. ¿Enviamos a Bat a hablar con ese simpaticón de Milo Sgarret, para que intente hacerle entrar en razón?

—Eso podría ser una buena idea... —convino Martin—. Pero no es a Sgarret a quien debemos convencer...

—¿Y a quién, entonces? —preguntó Leo, con curiosidad.

—¿De verdad no caéis? —inquirió su hermano con aire socarrón.

¡Detesto que Martin se ponga a hacer adivinanzas! Pero, en cuanto explicó su plan, tuve que reconocer que, como siempre, era genial.

Solo tenía un defecto: ¡que quien debía llevarlo a cabo, de nuevo, era un pobre murcielaguito remiedoso!

13

¿ME HE PERDIDO ALGO?

uando llegué a Quackery faltaban solamente un par de horas para el amanecer. Encontré El Antro de Merlín y, después de un breve vuelo de reconocimiento, localicé el dormitorio en el que Larry Price roncaba ruidosamente. Para mi suerte, las contraventanas estaban abiertas.

La técnica del Ala Postiza que había aprendido de mi primo Ala Suelta, miembro de la patrulla acrobática, requería gran capacidad técnica, pero también manual. En efecto, tras recoger cierta cantidad de hojas y ramitas flexibles, me puse a entrelazarlas a toda velocidad y, en menos de un cuarto de hora, tuve a mi disposición un maravilloso par de alas artificiales, ¡el doble de grandes que yo!

Me asomé a la ventana de Price con ellas puestas y, disimulando mi voz intencionadamente, empecé a revolotear por la habitación, aullando con aire amenazador:

—¡Laaarry! ¡Despierta, Laaarry! ¿Me oyes?

En cuanto el hombrecillo abrió los ojos y me vio, dio un salto en la cama, aterrorizado.

—¡Espíritus burbujeantes! ¡Es el hombre murciélago de Cornualles! —chilló el pobrecillo, tapándose con la sábana hasta la calva—. ¡Entonces existe! ¡Y yo que creía que también me había imaginado eso! ¡Piedad! ¡No me comas!

—¡No te comeré! ¡Pero solo con una condición! ¡Que salves Thrillmore House!

—¡No, te lo suplico! ¡No quiero volver a saber nada de aquella casa maldita!

—¡Si no haces lo que te digo, las consecuencias serán terribles para ti!

Al oír las risotadas de Leo por los auriculares, me resultó un poco difícil mantener la «tensión dramática» adecuada y no soltar una carcajada yo mismo. Pero por lo visto debí de hacerlo bastante bien, porque, cuando me fui volando de su casa, Price parecía convencido de que debía hacer todo lo que le había

ordenado. ¿Queréis saber qué le había pedido? ¡Un poco de paciencia!

Aterricé en el número 17 de Friday Street cuando ya amanecía. Estaba hecho polvo.

Rebecca me subió al desván y me metió amorosamente en mi camita, donde caí al instante en un sueño profundísimo. Aunque soñé una y otra vez que me perseguían el hombre murciélago de Cornualles y el monito exaltado que tocaba el organillo, ¡mi «letargo» duró la friolera de un día y medio!

Cuando por fin volví al mundo real, lo primero que vi fueron las caras amigas de los hermanos Silver, que me estaban mirando sonrientes.

—¿Me he perdido algo? —pregunté enseguida.

—¡La mejor parte, diría yo! —dijo Leo—. ¡Un desayuno, dos comidas principales y la merienda de la tarde!

—Y además, esto... —añadió Martin, plantándome en los morros la primera página del *Eco de Fogville*.

14

LOS CUADROS TAMBIÉN SONRÍEN

ada más leer la primera página del periódico, el corazón me dio un brinco: «Encontrado el testamento de Emily Lafayette. Thrillmore House no será demolida, sino que se convertirá en una casa de infancia».

¿Queréis saber lo que había ocurrido?

Ahora os lo puedo contar: el hombre murciélago de Cornualles, o sea, un servidor, había persuadido al asustadísimo Larry Price para que llevara a su abogado la copia del testamento recién encontrado, y así

detener inmediatamente los trabajos de demolición de la villa. Le había convencido de que, de este modo, lograría dos objetivos: en primer lugar, liberaría la casa de sus «rarezas» de una vez por todas, haciendo realidad la voluntad de la propietaria; y, en segundo lugar, convencería a todo el mundo de que no había perdido la chaveta cuando, tiempo atrás, ¡había hablado de una casa infestada de espectros!

¡No os cuento cómo reaccionó Milo Sgarret cuando se enteró de que se había encontrado el testamento! ¡Al principio se enfureció y amenazó con llevar a los tribunales a Larry Price e incluso a nosotros! Pero poco después, cuando quedó demostrado que existían dos

copias del testamento y se le acusó de haber destruido una, se defendió negando la evidencia y, finalmente, desapareció del mapa.

Ya lo decía siempre mi madre: «¡La conciencia pura es una hermosura, pero si haces el bribón parece un saco de carbón!».

¡Y la conciencia de Sgarret debía de estar más negra que un murciélago negro en una negra noche!

La aparición del testamento y la simultánea desaparición del único heredero provocaron una serie de acontecimientos, por así decirlo, «en cascada».

Lo primero que ocurrió afortunadamente fue que al final Thrillmore House no fue demolida.

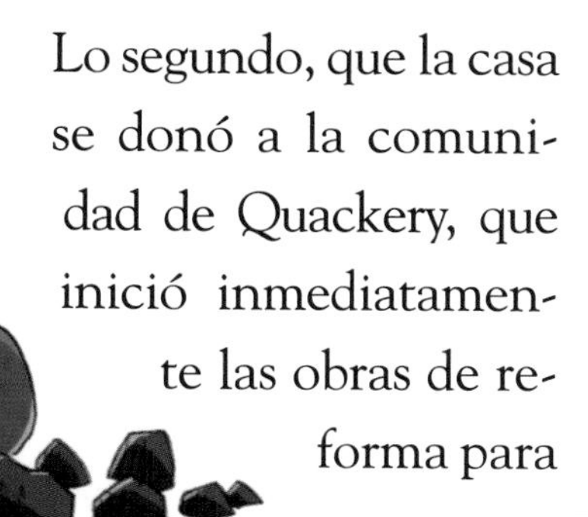

Lo segundo, que la casa se donó a la comunidad de Quackery, que inició inmediatamente las obras de reforma para convertirla en una «casa de infancia», como preveía el testamento de Emily Lafayette.

Lo tercero, finalmente, que el viejo y bonachón Larry Price volvió a ser tema de conversación.

En efecto, le entrevistaron las televisiones y los periódicos de todo el condado y tuvo la oportunidad de aclarar de una vez por todas que ciertos fenómenos, que él había grabado por cuenta de la señorita Lafayette, no eran en absoluto una invención suya, como habían insinuado tiempo atrás las malas lenguas, sino una serie de hechos misteriosos e inexplicables incluso para la ciencia moderna. Como era de esperar, aquel viejo zorro no dejó pasar la ocasión de hacer un poco de publicidad de su tienda, y durante los meses siguientes los negocios fueron decididamente mejor.

Cuando fuimos a verle, nos recibió como si fuera un viejo tío, feliz de volver a ver a sus sobrinitos preferidos. Y nos hizo un regalo a cada uno. A Leo le

regaló un «desintegrador calórico», a Rebecca unas «zapatillas de ballet autolevitantes», y a mí un «amplificador de sónar» digno del hombre murciélago de Cornualles. Sobre eso nos contó, con gran secreto, que unas noches antes había tenido un encuentro con aquel ser gigantesco y terrorífico. ¡Nos resultó muy difícil contener la risa!

Por último, aquel cómico personaje de Larry Price le hizo un regalo muy especial a Martin. Para ser sinceros, fue el mismo Martin quien se lo pidió:

—Señor Price, quería preguntarle si sería tan amable de escribir la introducción de mi *Guía de lugares misteriosos del condado de Fogville*. Sería un gran honor...

—¿Sería un gran... honor? ¡Pero si el honor es mío, jovencito! —contestó el hombrecillo calvo, visiblemente emocionado.

Y así, mi amigo «cerebrín» consiguió un prólogo para su guía aún más bonito que el del relato de Edgar Alan Papilla, en el cual Larry Price pudo rehabilitar su nombre y explicar al mundo entero cómo habían ocurrido las cosas realmente en la «casa más embrujada de Inglaterra».

El domingo siguiente volvimos los cuatro a Thrillmore House.

En el gran parque de la villa, abierto al público, había un montón de niños y adultos disfrutando de aquel maravilloso lugar.

Yo efectué un vuelo de inspección sobre el tejado de la casa, que estaba repleto de salientes y picos, y, cuando divisé una ventana abierta, no pude resistir la tentación de echar una ojeada en el interior. Habían pintado el gran salón con colores más vivos y sustituido los muebles viejos por otros más adecuados. Pero el retrato de Penelope Lafayette seguía allí, sobre la gran chimenea, vigilando su casa, ahora al fin «pacificada».

Me detuve para observarlo con más atención y... ¡Por el sónar de mi abuelo! ¡Ahora la villa a espaldas de la mujer tenía las ventanas abiertas de par en par y los árboles, antes esqueléticos, estaban llenos de flores! Pero ¿cómo era posible?

Miré incrédulo el rostro de Penelope y... ¿os lo podéis creer?, ya no tenía aquella expresión triste sino que sonreía contenta, como si finalmente hubiera encontrado la felicidad.

Puede que unos días atrás el remiedo me hubiera hecho salir a toda pastilla, pero ahora ya no me sorprendía que los retratos pudieran cambiar de expresión.

Pero este es un secreto que debe quedar entre nosotros. ¿Puedo contar con ello?

Un saludo «fantasmón» de vuestro

Bat Pat

ÍNDICE

BAT PAT

1. EL TESORO DEL CEMENTERIO

2. BRUJAS A MEDIANOCHE

3. LA ABUELA DE TUTANKAMÓN

4. EL PIRATA DIENTEDEORO

5. EL MONSTRUO DE LAS CLOACAS

6. EL VAMPIRO BAILARÍN

7. EL MAMUT FRIOLERO

8. EL FANTASMA DEL DOCTOR TUFO

9. LOS TROLLS CABEZUDOS

10. UN HOMBRE LOBO CHIFLADO

11. LOS ZOMBIS ATLÉTICOS

12. LA ISLA DE LAS SIRENAS

13. LOS MONSTRUOS ACUÁTICOS

14. LA CASA EMBRUJADA

15. NUNCA BROMEES CON UN SAMURÁI

LAS ESCALOFRIANTES AVENTURAS DE BAT PAT

¡ADIÓS, AMIGOS